在纪念刘少奇同志诞辰120周年座谈会上的讲话

（2018年11月23日）

习　近　平

人　民　出　版　社

在纪念刘少奇同志诞辰120周年座谈会上的讲话

（2018年11月23日）

习　近　平

同志们，朋友们：

今天，我们怀着十分崇敬的心情，在这里隆重集会，纪念刘少奇同志诞辰120周年，缅怀他为党和人民事业建立的不朽功勋，追思他为民族独立和人民解放、国家富强和人民幸福不懈奋斗的光辉生涯，学习和继承他的崇高精神风范，激励全党全国各族人民为全面建成小康社会、夺取新时代中国特色社会主义伟大胜利、实现中华民族伟大复兴的中国梦而继续奋斗。

刘少奇同志是伟大的马克思主义者，伟大的无产阶级革命家、政治家、理论家，党和国家主要领导人之一，中华人民共和国开国元勋，是党的第一代中央领导集体的重要成员。

刘少奇同志的英名，同中国人民、中国共产党、中华人民共和国波澜壮阔的奋斗历史紧密相连。他为中国革命和建设事业殚精竭虑、呕心沥血，在经济、政治、军事、文化、教育、外交和党的建设等领域都建立了卓著功勋，受到全党全军全国各族人民衷心爱戴。

1898 年，刘少奇同志出生于湖南省宁乡县炭子冲。在他的青少年时期，中华民族正陷入内忧外患的深重苦难之中，人民流离失所、国家山河破碎的悲惨境况令人痛彻心扉。刘少奇同志青年时代就立下拯救民族危难的远大志向，积极投身反对袁世凯同日本帝国主义签订“二十一条”的斗争，写下了“誓雪国耻，毋忘国耻”的血书。在五四爱国运动洗礼下，他走上探索争取民族独立和人民解放的道路，并在 1920 年加入社会主义青年团。1921 年，他在莫斯科东方大学系统学习《共产党宣言》、《共产主义 ABC》、《政治经济学》等马克思主义著作，坚信马克思主义“确实是真理，确能救中国”，这年冬天他正式转为中国共产党党员。从此，刘少奇同志把毕生精力毫无保留地奉献给了党和人民事业。

从中国共产党成立初期到土地革命战争时期，刘少奇同志在工人运动和党在白区工作等方面作出杰出贡献。1922年春天，刘少奇同志根据党的指示回国，参与领导闻名全国的安源路矿工人大罢工，这是中国共产党第一次独立领导并取得完全胜利的工人斗争，提高了党组织在工人群众中的威信。他组织领导的安源路矿工人俱乐部和汉冶萍总工会是当时全国最大的产业工会组织，成为激励全国工人运动的一面旗帜，刘少奇同志也因此成为我国著名工人运动领袖和主要领导人之一。在轰轰烈烈的大革命时期，刘少奇同志参加领导五卅运动、省港大罢工、武汉工人夺回英租界的斗争。

大革命失败后，刘少奇同志是正确路线在白区工作中的代表。他先后在白色恐怖笼罩的上海、北平、天津、哈尔滨等地领导党的地下工作，坚持从实际出发，披荆斩棘开展工作，同党内“左”倾错误进行坚决斗争。他参加中国工农红军长征，在遵义会议上坚定支持以毛泽东同志为代表的正确主张。

红军长征胜利到达陕北后，党中央派刘少奇同志前往民族救亡浪潮高涨的华北地区。他坚决贯彻党中央建立抗日民族统一战线的策略方针，从思想上理论上清算“左”倾关门主义和冒险主义的错误，迅速恢复和发展党在华北地区的组织，实现了党在白区工作的历史性转变。

全面抗战爆发后，刘少奇同志屡次临危受命，先后担任中共中央北方局书记、中原局书记、华中局书记，领导在三大战略区发展党组织、开辟根据地、壮大党领导的人民抗日武装。他坚定执行党中央和毛泽东同志提出的开展独立自主的敌后抗日游击战争的战略方针，放手发动群众，出色完成党交付的重任。皖南事变后，刘少奇同志临危受命，出任新四军政委，同陈毅等同志一起，重建新四军军部，领导华中军民粉碎了国民党企图消灭新四军的阴谋，为把新四军建设成为党领导下的一支铁军作出重大贡献。刘少奇同志受毛泽东同志委托，指导山东建立统一的政治军事领导中心，调整策略方针和各方面政策，使山东抗日根据地迎来大发展局面。

1943年春，刘少奇同志回到延安，协助毛泽东同志领导延安整风、总结党的历史经验、筹备党的七大。他撰写的《论共产党员的修养》、《论党内斗争》等著作丰富了党的建设理论，教育了一代又一代共产党人。在党的七大上，刘少奇同志在《关于修改党章的报告》中对“毛泽东思想”作出完整概括和系统阐述，指出毛泽东思想“是我们党和我国人民在长期奋斗中最大的收获与最大的光荣，它将造福于我国民族至遥远的后代”。他说：“我们党和许多党员，曾经因为理论上的准备不够，因而在工作中吃了不少的徘徊摸索的苦头，走了不少的不必要的弯路。但现在已经由于毛泽东同志的艰巨工作和天才创造，为我们党和中国人民在理论上作了充分准备，这就要极大地增强我们党和中国人民的信心和战斗力量，极大地加速中国革命胜利的进程。”

抗日战争胜利后，毛泽东同志赴重庆谈判期间，刘少奇同志代理中共中央主席，在形势急剧变化的重要关头，主持制定“向北发展，向南防御”的战略方针，指导东北实施“让开大路，占领两厢”的战略部署，为建立巩固的东北根据地奠定了基础。他主持召开全国土地会议，制定《中国土地法大纲》，这是抗日战争胜利后中国共产党公开颁布的第一个关于土地制度改革的纲领性文件。刘少奇同志投入极大精力参与领导解放区土地改革，为党领导人民夺取全国解放战争胜利提供了坚实物质力量和群众基础。他受毛泽东同志委托对新民主主义经济进行深入研究，提出比较完整的新中国经济构成和经济建设方针的设想，为党的七届二中全会制定新中国建设蓝图作了重要理论准备。他领导成立的华北人民政府为新中国成立后组建中央人民政府提供了组织和干部基础。他率领中共代表团访问苏联，完成党中央赋予的重大使命，使新中国能够较快争取到国际上有力的政治支持和经济援助。

新中国成立后，刘少奇同志长期主持中央一线工作。他主持制定土地改革法等文件，指导全国农村消灭了几千年的封建土地制度。他参与制定宪法，为新中国宪法制定和实施作出贡献。他参与我国经济发展第一个五年计划的制定、审议、实施，使国家经济发展有了明确方向和目标。他是新中国第一任全国人大常委会委员长，用很大精力建立健全人民代表大会这个崭新的制度，主持制定一大批重要法律法规，为新中国法律制度形成和发展起了重要作用。

刘少奇同志积极探索适合我国国情的社会主义建设道路，强调我们应该根据中国特点采取适合中国情况的方法来进行建设。在党的八大上，他代表党中央作政治报告，科学分析社会主义社会制度基本建立后我国社会的主要矛盾，强调党和全国人民的主要任务是集中力量发展社会生产力，实现国家工业化，逐步满足人民日益增长的物质文化需要。他提出社会主义经济要既有计划性，又有灵活性和多样性，充分利用自由市场，利用价值规律来调节生产。他高度重视社会主义条件下正确处理人民内部矛盾问题，高度重视由分配和物质利益引发的人民内部矛盾，高度重视由官僚主义作风引发的干群矛盾等问题，提出许多重要见解。在国家经济困难时期，他深入实际、深入群众，坚决支持和指导实施"调整、巩固、充实、提高"的正确方针，做了大量卓有成效的工作。他对改革经济管理体制提出许多指导意见，认为如果生产关系跑到生产力的前头就会破坏生产力，主张在农业生产中实行同产量联系起来的责任制，在企业领域倡导试办托拉斯，提出实行两种教育制度和两种劳动制度，提议改革物资管理流通体制，等等，这些重要意见反映了他的远见卓识，也为党的十一届三中全会以后经济体制改革提供了有益借鉴。

刘少奇同志为把党建设成为坚强的马克思主义政党、巩固党的执政地位作出了重要建树。新中国成立后，他提出共产党员标准的八项条件，要求“为更高的共产党员的条件而斗争”，提出发展党员“宁可数量少一些，但要保证质量”，强调“我们党是一个战斗的组织，如果没有集中统一的指挥，就不可能进行任何一个胜利的战斗”，提醒警惕执政掌权后干部的变质腐化问题等，为我们党在执政条件下保持自身的先进性和纯洁性作了积极探索。

在“文化大革命”中，刘少奇同志遭到林彪、“四人帮”反革命集团的残酷迫害，不幸蒙冤致死。在最艰难的时刻，他仍以共产党员的高度责任感，向党中央建议“尽早结束‘文化大革命’，使国家少受损失”，坚信“好在历史是人民写的”。人民书写的历史是最公正的。1980年,党的十一届五中全会为刘少奇同志平反昭雪,高度评价刘少奇同志的光辉一生。刘少奇同志的英名和功勋将永远为中国人民所铭记。

同志们、朋友们!

刘少奇同志数十年如一日的不懈奋斗,在我们党的历史上、在中华民族走向伟大复兴的历史上占有重要地位。刘少奇同志的崇高品德和高尚情操,无论过去、现在、将来都是中国共产党人和中国人民学习的光辉榜样。

——刘少奇同志是不忘初心、对党忠诚的光辉榜样。共产党人坚持的初心,就是对共产主义理想的坚定信仰,就是对党和人民事业的永远忠诚。刘少奇同志说:“一个人,特别是一个党员,为了党,为了社会进化与人类解放,为了千百万劳苦大众的共同长远的利益而奋斗到底,直至终身,甚至牺牲自己的生命,是最值得”。他还强调:“一个共产党员,在任何情况下,能够不能够把自己个人的利益绝对地无条件地服从党的利益,是考验这个党员是否忠于党、忠于革命和共产主义事业的标准。”刘少奇同志是这样说的，也是这样做的。在白色恐怖下，他两次被捕入狱，面对严酷考验，他正气凛然、坚贞不屈。他在党内多次受到"左"倾错误的排斥，却从不计较个人得失。刘少奇同志50岁生日的时候，朱德同志在一首诗里称赞他："真理寻求得，平生能坚持。"即使在"文化大革命"那样艰难的时刻，他仍然誓言"一个革命者，生为革命，死也永远为共产主义事业，一心不变"。

心中有信仰，行动有力量。今天，我们学习刘少奇同志，就要牢记理想信念是共产党人安身立命的根本，是共产党人的政治灵魂，在立根固魂上下功夫，把共产主义远大理想同中国特色社会主义共同理想统一起来、同我们正在做的事情统一起来，增强"四个意识"，坚定"四个自信"，坚守共产党人理想信念，为共产主义奋斗终身。

——刘少奇同志是坚持真理、实事求是的光辉榜样。刘少奇同志说："我们党从来就不害怕指出与批评自己的缺点或错误。过去的一切缺点与错误，都将成为我们今后争取胜利的教训。""真理是最可靠的"。他还说："必须把树立实事求是的作风，作为加强党性的第一个标准。”针对那些弄虚作假、欺上瞒下的歪风邪气，刘少奇同志严厉批评说，这“不但是同我们党的实事求是的作风不相容，也不止是党性不纯的表现，而且是丢掉了共产党人应该有的忠诚老实的态度，是丧失党性的表现”。刘少奇同志一生从不隐瞒自己的政治观点，光明磊落，襟怀坦荡，敢于讲真话、讲实话，也鼓励别人讲真话。他一生为真理而奋斗，凡符合实际的，符合人民利益的，他就坚持；凡经过实践检验不符合实际的，他就勇于在工作中加以改正。

坚持解放思想、实事求是，坚持真理、修正错误，是党和人民事业从胜利走向胜利的重要保证。今天，我们学习刘少奇同志，就要始终实事求是，勇于直面问题，随时准备坚持真理，随时准备修正错误。只有做到了这一点，才能把党建设成为始终走在时代前列、人民衷心拥护、勇于自我革命、经得起各种风浪考验、朝气蓬勃的马克思主义执政党，让21世纪中国的马克思主义展现出更强大、更有说服力的真理力量。

——刘少奇同志是敢于担当、勇于创造的光辉榜样。刘少奇同志说:“共产党员的精神,是积极上进的精神、独立创造的精神。”“要完成任何伟大的事业,都必须有吃苦耐劳的精神,都必须有意识地把较为艰苦和困难的工作担当起来。”他还说:“共产党员的革命气概,应该是充分估计困难,而且在最困难的时候,还是挺起腰杆前进。”刘少奇同志在革命紧急关头,总是不避艰险,到最困难的地方去,挑最重的担子。1936 年初,党中央派刘少奇同志去北方局工作,有同志对他说:你这次去白区,是重返虎穴,任务艰巨呐! 他果断回答:不入虎穴,焉得虎子。在国民经济调整时期,他负责中央一线工作,领导克服困难的斗争。面对各种复杂险峻的形势,刘少奇同志坚持一切从实际出发,善于在复杂的环境中统揽全局、缜密分析,提出和实施切实可行的政策。

共产党人必须做改造社会、改造世界的担当者,敢于担当责任,勇于直面困难。今天,我们学习刘少奇同志,就要坚持党的原则第一、党的事业第一、人民利益第一,面对大是大非敢于亮剑,面对矛盾敢于迎难而上,面对危机敢于挺身而出,面对失误敢于承担责任,面对歪风邪气敢于坚决斗争。每一个共产党员都要以强烈的使命感,担当起该担当的责任,跟上时代要求,跟上实践要求,跟上人民要求,创造性开展工作,坚定不移贯彻落实党的路线方针政策。

——刘少奇同志是勤于学习、知行合一的光辉榜样。刘少奇同志说:“革命者要改造和提高自己,必须参加革命的实践,绝不能离开革命的实践;同时,也离不开自己在实践中的主观努力,离不开在实践中的自我修养和学习。”他还说:“一个共产党员如果不努力学习马克思列宁主义的理论和方法,如果不用马克思列宁主义指导自己的思想和行动,他要在一切革命斗争中坚持无产阶级的立场,体现无产阶级的思想意识,这也是不可能的。”针对革命胜利后一些人骄傲自满,认为不读马列主义的书也能当县委书记、地委书记的糊涂认识,他说:“不是说胜利了,马克思的书就不要读了,恰恰相反,特别是革命胜利了,更要多读理论书籍,熟悉理论,否则由于环境的复杂,危险更大。”刘少奇同志善于向书本学习,善于向实践学习,更善于把这两方面的学习结合起来。他注重把马克思主义基本原理同中国革命和建设的具体实际相结合,对许多理论和实践问题进行具体分析，大胆探索，提出自己的见解。他善于把丰富的实践经验提升到理论高度，用来指导实践发展。刘少奇同志观察问题深刻透彻，分析事物鞭辟入里，揭露矛盾尖锐泼辣，表现出一个马克思主义理论家的可贵品格。刘少奇同志深刻总结和提炼我们党领导革命和建设的历史经验，深刻总结和提炼我们党治党治国的历史经验，为毛泽东思想形成和发展作出了重大理论贡献。

重视学习是我们党推动事业发展的成功经验。今天，我们学习刘少奇同志，就要大兴学习之风，在全党营造善于学习、勇于实践的浓厚氛围，建设马克思主义学习型政党，推动建设学习大国。学习本领是领导干部必须具备的第一位本领，同时要善于把学到的本领运用到实际工作中去，努力做到知行合一、以知促行、以行求知。

——刘少奇同志是心系人民、廉洁奉公的光辉榜样。刘少奇同志说过："人民的利益，即是党的利益。除了人民的利益之外，党再无自己的特殊利益。最广大人民群众的最大利益，即是真理的最高标准，即是我们党员一切行动的最高标准。"刘少奇同志坚持一切从人民利益出发,把自己看作是人民的勤务员。刘少奇同志在《论共产党员的修养》中严厉批评把个人利益摆在党和人民利益之上的种种自私自利的思想。刘少奇同志对讲排场、摆阔气、假公济私的现象深恶痛绝,强调这是绝对不能允许的。他说:“我们党从最初起,就是为了服务于人民而建立的,我们一切党员的一切牺牲、努力和斗争,都是为了人民群众的福利和解放,而不是为了别的。这就是我们共产党人最大的光荣和最值得骄傲的地方。”他在白区工作时,经常经手几万元的党的活动经费,但他分文不动,每天只买些萝卜烩点馍维持生活。他经常轻装简从,深入群众、深入基层,倾听群众呼声,心系群众安危。他同掏粪工人时传祥结下的友情,成为党同人民群众血肉联系的生动缩影。家乡的一些亲戚看到他当了国家主席,跑到北京找他办事,刘少奇同志严肃告诉他们:“不错,我是国家主席,硬着头皮给你们办这些事,也不是办不成。可是不行啊!我是国家主席不假,但我是共产党员,不能随便行使自己的职权。”他回家乡农村调查时,有时睡在养猪场饲养员用过的铺了稻草的木板床上，有时睡在县委会议室的一张长方形的会议桌上，有时睡在大队部用两条长凳架着的门板上。他教育子女不能搞特殊化、不能脱离群众，要求身边工作人员不请客、不迎送，不准向地方提任何要求和接受任何礼物。他还对子女说："爸爸是人民的儿子。你们也一定要做人民的好儿女。永远跟着党，永远为人民。"这些平凡小事体现了一名真正共产党人艰苦奋斗、廉洁奉公的人民公仆本色。

每一个共产党员，不论职位多高，都是人民的勤务员。今天，我们学习刘少奇同志，就要始终坚守人民立场，把人民群众放在心中最高位置，始终保持同人民群众的血肉联系，把为人民谋幸福作为根本职责。全党同志要时刻牢记，我们的权力是党和人民赋予的，是用来为党和人民做事的，只能用来为党分忧、为国干事、为民谋利。要心有所畏、言有所戒、行有所止，任何时候都不搞特权，不以权谋私，做到忠诚干净担当。

同志们、朋友们！

刘少奇同志说过："共产主义事业是我们的终身事业。我们终身的一切活动，都是为了这个事业，而不是为了别的。”为共产主义奋斗终身的坚定信念，激励着一代又一代共产党人，风雨无阻、砥砺前行。历史的接力棒已经交到了我们手中。我们在新的历史起点上进行伟大斗争、建设伟大工程、推进伟大事业、实现伟大梦想，就是刘少奇同志等老一辈革命家一生奋斗的伟大事业的继承和发展。

经过中国共产党领导全国各族人民近百年的不懈奋斗，经过中华人民共和国近70年的风雨前行，经过改革开放40年的开拓前进，中华民族迎来了从站起来、富起来到强起来的伟大飞跃，迎来了实现中华民族伟大复兴的光明前景。全党全国各族人民要更加紧密地团结在党中央周围，高举中国特色社会主义伟大旗帜，不忘初心，牢记使命，奋发进取，埋头苦干，努力创造属于新时代的光辉业绩，把实现中华民族伟大复兴中国梦的伟大目标一步一步变为现实！

图书在版编目(CIP)数据

在纪念刘少奇同志诞辰120周年座谈会上的讲话/
习近平 著. —北京:人民出版社,2018.12
ISBN 978-7-01-018649-8

Ⅰ.①在… Ⅱ.①习… Ⅲ.①习近平-讲话-学习参考资料
②刘少奇(1898—1969)-生平事迹 Ⅳ.①D2-0②K827=7

中国版本图书馆CIP数据核字(2018)第274004号

(RMC-ZJDXI-070-20181123)

在纪念刘少奇同志诞辰120周年座谈会上的讲话
ZAI JINIAN LIUSHAOQI TONGZHI DANCHEN 120 ZHOUNIAN
ZUOTANHUI SHANG DE JIANGHUA

(2018年11月23日)

习 近 平

人民出版社 出版发行
(100706 北京市东城区隆福寺街99号)

北京新华印刷有限公司印刷 新华书店经销

2018年12月第1版 2018年12月北京第1次印刷
开本:880毫米×1230毫米 1/32 印张:0.75
字数:10千字

ISBN 978-7-01-018649-8 定价:2.50元

邮购地址 100706 北京市东城区隆福寺街99号
人民东方图书销售中心 电话 (010)65250042 65289539